U0343543
1580242646

中华人民共和国国家标准

电气装置安装工程
起重机电气装置施工及验收规范

Code for construction and acceptance of electric device
of crane electrical equipment installation engineering

GB 50256-2014

主编部门:中　国　电　力　企　业　联　合　会
批准部门:中华人民共和国住房和城乡建设部
施行日期:2　0　1　5　年　8　月　1　日

中国计划出版社

2014　北　　京

中华人民共和国国家标准

电气装置安装工程

起重机电气装置施工及验收规范

GB 50256-2014

中国计划出版社出版发行

网址：www.jhpress.com

地址：北京市西城区木樨地北里甲11号国宏大厦C座3层

邮政编码：100038　电话：(010) 63906433（发行部）

三河富华印刷包装有限公司印刷

850mm×1168mm　1/32　1.25印张　29千字

2015年5月第1版　2023年6月第3次印刷

☆

统一书号：1580242・646

定价：12.00元

中华人民共和国住房和城乡建设部公告

第 645 号

住房城乡建设部关于发布国家标准《电气装置安装工程　起重机电气装置施工及验收规范》的公告

现批准《电气装置安装工程　起重机电气装置施工及验收规范》为国家标准，编号为 GB 50256—2014，自 2015 年 8 月 1 日起实施。其中，第 3.0.9（2）、4.0.1（3）、6.0.4（1）、6.0.9 条（款）为强制性条文，必须严格执行。原国家标准《电气装置安装工程　起重机电气装置施工及验收规范》GB 50256—96 同时废止。

本规范由我部标准定额研究所组织中国计划出版社出版发行。

中华人民共和国住房和城乡建设部

2014 年 12 月 2 日

前　言

本规范是根据住房城乡建设部《关于印发〈2009年工程建设标准规范制订、修订计划〉的通知》(建标〔2009〕88号)的要求,由中国电力企业联合会、国核工程有限公司会同有关单位在原国家标准《电气装置安装工程　起重机电气装置施工及验收规范》GB 50256—1996的基础上修订完成的。

本规范在修订过程中,编制组认真总结了原国家标准《电气装置安装工程　起重机电气装置施工及验收规范》GB 50256—1996执行以来,对电气装置安装工程起重机电气装置施工及验收的新要求以及相关科研和现场实践经验,广泛征求了全国有关单位的意见,最后经审查定稿。

本规范共分7章,主要技术内容包括:总则,术语,基本规定,滑触线、滑接器及悬吊式软电缆的安装,配线,电气设备及保护装置,工程质量验收。

与原规范相比,本次修订的主要内容有:

1.增加了“术语”和“基本规定”两个章节;

2.将本规范的适用范围由额定电压0.5kV及以下新安装的各式起重机、电动葫芦的电气装置和3kV及以下滑线安装工程的施工及验收扩大到额定电压10kV及以下的各式起重机、电动葫芦的电气装置和滑触线安装工程的施工及质量验收。电压等级提高了,对安装各个环节施工技术、指标等要求的提高,在条文中都作了明确规定。

本规范中以黑体字标志的条文为强制性条文,必须严格执行。

本规范由住房城乡建设部负责管理和对强制性条文的解释,由中国电力企业联合会负责日常管理,由中国电力科学研究院负责具体技术内容的解释。在本规范执行过程中，请各单位结合工程实践，认真总结经验，如发现需要修改或补充之处，请将意见或建议寄送国核工程有限公司（地址：上海市闵行区田林路888弄2号楼，邮编：200233），以供今后修订时参考。

本规范主编单位、参编单位、主要起草人和主要审查人：

主编单位：中国电力企业联合会
国核工程有限公司

参编单位：中国葛洲坝集团机械船舶有限公司
中国三冶集团电气设备安装工程公司
三峡电力职业学院

主要起草人：邹颖男　荆　津　孙克彬　何志江　庞友谊
陈　康　田　晓

主要审查人：徐　军　周永利　王国民　王　敏　刘　军
白　永　刘玉杰　周　健　王　鉴　葛占雨
高鹏飞

目　　次

Contents

1 总　　则

1.0.1 为保证起重机电气装置的施工安装质量，促进施工安装技术的进步，确保设备安全运行，制定本规范。

1.0.2 本规范适用于建设工程中额定电压10kV及以下的各式起重机、电动葫芦的电气装置和滑触线安装工程的施工及验收。

1.0.3 起重机电气装置的施工及验收，除应符合本规范外，尚应符合国家现行有关标准的规定。

2 术　语

2.0.1 滑触线和滑接器　trolley line and slip connector

用于给移动设备供电的一种馈电装置，由滑触线—滑线导轨和滑接器—集电器两部分组成。

2.0.2 信号电缆　signal cable

用于额定电压交流500V或直流1000V及以下用来传输数字信号、模拟信号、音频信号或自动信号的装置的电缆。

2.0.3 线槽　raceway

专门为敷设、固定导线或电缆而设计的一种槽形沟道。

2.0.4 电阻器　resistor

用电阻材料制成、有一定结构形式、能在电路中起限制电流通过作用或将电能转变为热能等的电器，由电阻体、骨架和引出端三部分构成。

2.0.5 制动装置　brake

具有使运动部件（或运动机械）减速、停止或保持停止状态等功能的装置。

2.0.6 行程限位开关　limit switch

利用生产机械运动部件的碰撞使其触头动作实现接通或分断控制电路，达到一定的控制目的的控制电器。

2.0.7 夹轨器　rail clamp

将轨行式起重机锁定在轨道上用以防风、抗滑行、防倾覆的安全装置。

2.0.8 控制器　controller

在电气传动装置中，按一定逻辑关系分合触头，达到发布命令或与其他控制线路联锁、转换目的的一种装置，又称主令开关。

2.0.9 变频器 variable-frequency drive

一种运动控制系统中的功率变换器，利用电力半导体器件的通断作用将工频电源变换为另一频率电能的控制装置。

2.0.10 可编程序控制器（PLC） programmable logic controller

一种专门为在工业环境下应用而设计的数字运算操作的电子装置。它采用可以编制程序的存储器，用来在其内部存储执行逻辑运算、顺序运算、计时、计数和算术运算等操作的指令，并能通过数字式或模拟式的输入和输出，控制各种类型的机械或生产过程。

2.0.11 触摸屏 touch panel

一种可接收触摸等输入信号，具有人机交互功能的感应式液晶显示装置。当接触了显示器上的图形按钮时，显示器上的触觉反馈系统可根据预先编制的程式驱动各种连结装置，可取代机械式的按钮面板。

3 基本规定

3.0.1 起重机电气装置的安装应按已批准的设计及产品技术文件进行施工。

3.0.2 起重机电气设备的运输、保管应符合产品技术文件的要求。

3.0.3 采用的设备及器材应有合格证件。设备应有铭牌标志。设备及器材到达现场后，应做下列验收检查：

1 包装应完整，密封件密封应良好；

2 开箱检查清点，型号、规格应符合设计要求，附件、备件应齐全；

3 产品的技术文件应齐全；

4 外观检查应无损坏、变形和锈蚀。

3.0.4 安装施工应制订安全技术措施。

3.0.5 与起重机电气装置安装有关的建筑工程施工应符合下列规定：

1 与起重机电气装置安装有关的建(构)筑物的建筑工程质量，应符合现行国家标准《建筑工程施工质量验收统一标准》GB/T 50300的有关规定。当设备及设计有特殊要求时，尚应符合特殊要求。

2 设备安装前，建筑工程应具备下列条件：

1) 起重机上部的顶棚防水应验收合格；

2) 混凝土梁上预留的滑触线支架安装孔和悬吊式软电缆终端拉紧装置的预埋件、预留孔位置应正确，孔洞应无堵塞，预埋件应牢固；

3) 滑触线安装前，相关建(构)筑物内装修装饰工作应完成。

3.0.6 起重机电气装置的构架、钢管、滑触线支架等非带电金属部分，均应涂防腐漆或镀锌。

3.0.7 设备安装用的紧固件，除地脚螺栓外，均应采用镀锌制品。

3.0.8 绝缘起重机应设有吊钩与滑轮、起升机构与小车架、小车架与大车三道绝缘。每道绝缘在常温状态下用1000V兆欧表测得的电阻值应大于或等于1MΩ。非工作状态下，小车架上的感应电压不应超过安全电压值(36V)。

3.0.9 起重机非带电金属部分的接地应符合下列规定：

1 装有接地滑接器时，滑接器与轨道或接地滑触线，应可靠接触。

2 司机室与起重机本体用螺栓连接时，必须进行电气跨接；其跨接点不应少于两处。

3 跨接宜采用多股软铜线，其截面面积不得小于16mm^2，两端压接接线端子应采用镀锌螺栓固定，当采用圆钢或扁钢进行跨接时，圆钢直径不得小于12mm，扁钢截面的宽度和厚度不得小于40mm×4mm。

4 滑触线、滑接器及悬吊式软电缆的安装

4.0.1 滑触线的布置应符合设计要求；当设计无要求时，应符合下列规定：

1 滑触线距离地面的高度不得低于3.5m；在有汽车通过部分，滑触线距离地面的高度不得低于6m。

2 滑触线与设备和氧气管道的距离，不得小于1.5m；与易燃气体、液体管道的距离，不得小于3m；与一般管道的距离，不得小于1m。

3 裸露式滑触线在靠近走梯、过道等行人可触及的部分，必须设有遮拦保护。

4.0.2 滑触线的支架及其绝缘子的安装应符合下列规定：

1 支架不得在建(构)筑物伸缩缝和轨道梁结合处安装。

2 支架安装应牢固，并应在同一水平面或垂直面上。

3 绝缘子、绝缘套管不得有裂纹、机械损伤等缺陷；表面应清洁；绝缘性能应符合现行国家标准《电气装置安装工程 电气设备交接试验标准》GB 50150的有关规定；铁瓷胶合处应黏合牢固。

4 安装于室外或潮湿场所的滑触线绝缘子、绝缘套管，应采用户外式。

5 绝缘子两端的固定螺栓，宜采用高标号水泥砂浆灌注，并应能承受滑触线的拉力。

6 滑触线支架应可靠接地。

4.0.3 滑触线的安装应符合下列规定：

1 接触面应平直无锈蚀，导电应良好。

2 裸露式滑触线的安装应按设计要求执行。当设计无要求时，额定电压为0.5kV以下的滑触线，其相邻导电部分和导电部

分与接地部分之间的净距不得小于30mm，户内3kV滑触线，其相间和对地的净距不得小于100mm；当不能满足要求时，滑触线应采取绝缘隔离措施。

3 起重机在终端位置时，滑接器与滑触线末端的距离不应小于200mm；固定装设的型钢滑触线，其终端支架与滑触线末端的距离不应大于800mm。

4 型钢滑触线所采用的材料，应进行平直处理，其中心偏差不宜大于长度的1/1000，且不得大于10mm。

5 滑触线安装后应平直；滑触线之间的距离应一致，其中心线应与起重机轨道的实际中心线保持平行；滑触线中心线与起重机轨道中心线之间的平行度、各相滑触线之间的平行度，不应大于长度的1/1000，且不得大于10mm。

6 型钢滑触线长度超过50m或跨越建(构)筑物伸缩缝时，应装设伸缩补偿装置。

7 辅助导线宜沿滑触线敷设，且应与滑触线进行可靠的连接；其连接点之间的间距不应大于12m。

8 型钢滑触线在支架上应能伸缩，并宜在中间支架上固定。

9 型钢滑触线除接触面外，表面应涂以红色的油漆。

4.0.4 滑触线伸缩补偿装置的安装应符合下列规定：

1 伸缩补偿装置应安装在与建(构)筑物伸缩缝距离最近的支架上。

2 在伸缩补偿装置处，滑触线应留有10mm～20mm的间隙，间隙两侧的滑触线端头应加工圆滑，接触面应安装在同一水平面上，其两端间高差不应大于1mm。

3 伸缩补偿装置间隙的两侧，均应有滑触线支架，支架与间隙的距离，不宜大于150mm。

4 间隙两侧的滑触线应采用软导线跨接连接，跨越线应留有余量，其允许载流量不应小于滑触线的允许载流量。

4.0.5 滑触线的连接应符合下列规定：

1 连接后应有足够的机械强度，且应无明显变形。

2 接头处的接触面应平直光滑，其高差不应大于0.5mm，连接后高出部分应修整平直。

3 型钢滑触线焊接时，应附连接托板；用螺栓连接时，应加跨接软线。

4 轨道滑触线焊接时，焊条和焊缝应符合钢轨焊接工艺对材料和质量的要求，焊好后接触表面应平直光滑。

5 导线与滑触线连接时，滑触线接头处应镀锡或加焊有电镀层的接线板。

4.0.6 分段供电滑触线的安装应符合下列规定：

1 分段供电的滑触线，当各分段电源允许并联运行时，分段间隙应为20mm，3kV及以上滑触线，应符合设计要求。

2 分段供电不允许并联运行的滑触线间隙处，分段间隙应大于滑接器与滑触线接触长度40mm。间隙处应采用硬质绝缘材料的托板连接，托板与滑触线的接触面，应在同一水平面。

3 滑触线分段间隙的两侧电源相位应一致。

4.0.7 3kV及以上滑触线的安装除应符合本规范第4.0.1条～第4.0.6条的规定外，尚应符合下列规定：

1 高压绝缘子安装前应进行耐压试验，并应符合现行国家标准《电气装置安装工程　电气设备交接试验标准》GB 50150的有关规定。

2 滑触线固定装置的构件，铸铜长夹板、短夹板、托板、垫板、辅助连接板及接线板等，在安装前应按设计图制作完毕；当所采用的型钢、双沟铜线分段组装时，应按相编号，接缝应严密、平直。

4.0.8 软电缆的吊索和自由悬吊滑触线的安装应符合下列规定：

1 终端固定装置和拉紧装置的机械强度应符合设计要求，其最大拉力应大于滑触线或吊索的最大拉力。

2 当滑触线和吊索长度小于或等于25m时，终端拉紧装置的调节余量不应小于0.1m；当滑触线和吊索长度大于25m时，终端拉紧装置的调节余量不应小于0.2m。

3 滑触线或吊索拉紧时的弛度，应根据其材料规格和安装时的环境温度选定，滑触线间的弛度偏差，不应大于20mm。

4 滑触线与终端装置之间的绝缘应可靠。

4.0.9 悬吊式软电缆的安装应符合下列规定：

1 当采用型钢作软电缆滑道时，型钢应安装平直，滑道应平直光滑，机械强度应满足使用条件。

2 悬挂装置的电缆夹，应与软电缆可靠固定，电缆夹间的距离，不宜大于5m。

3 软电缆安装后，其悬挂装置沿滑道移动应灵活、无跳动，不得卡阻。软电缆的换向应灵活、无卡阻；软电缆与固定装置之间应无摩擦、互不干涉；软电缆的最低点与地面最高点之间的距离应大于100mm。

4 软电缆移动段的长度，应长于起重机移动距离15%～20%，并应加装牵引绳，牵引绳长度应短于软电缆移动段的长度，且长于起重机的移动距离。

5 软电缆移动部分的两端，应分别与起重机、钢索或型钢滑道牢固固定。

6 悬吊式软电缆的试验应符合现行国家标准《电气装置安装工程　电气设备交接试验标准》GB 50150的相关规定。

4.0.10 卷筒式软电缆的安装应符合下列规定：

1 起重机移动时，不应挤压软电缆。

2 安装后软电缆与卷筒应保持适当拉力，但卷筒不得自由转动。

3 卷筒的放缆和收缆速度，应与起重机移动速度一致；利用重砣调节卷筒时，电缆长度和重砣的行程应相适应。

4 起重机放缆到终端时，卷筒上应保留两圈以上的电缆。

5 卷筒的最大容缆量不应超过产品技术文件的规定。

6 在全行程中电缆线芯不应受拉力。

7 滑环及刷架应固定牢固;电刷接触压力应适当、接触良好;电刷与刷握间应能上下自由移动;刷握与滑环间隙应为2mm~4mm。

4.0.11 安全式滑触线的安装应符合下列规定:

1 安全式滑触线的安装,应按设计规定或根据不同结构形式的要求进行,当滑触线长度大于200m时,应加装伸缩装置。

2 安全式滑触线的连接应平直,支架夹安装应牢固,各支架夹之间的距离应小于3m。

3 安全式滑触线支架的安装,当设计无规定时,宜焊接在轨道下的垫板上;当固定在其他地方时,应做好接地连接,接地电阻应小于4Ω。

4 安全式滑触线的绝缘护套应完好,不应有裂纹及破损。

5 滑接器拉簧应完好灵活,耐磨石墨片应与滑触线可靠接触,滑动时不应跳弧,连接软电缆应符合载流量的要求。

6 安全式滑触线的安装,接头接触面两侧高低差应一致;滑触线的中心线与移动设备轨道中心线、各相滑触线之间应平行。

7 滑触线余留长度应大于200mm。

4.0.12 滑接器的安装应符合下列规定:

1 滑接器支架的固定应牢靠,绝缘子和绝缘衬垫不得有裂纹、破损等缺陷,导电部分对地的绝缘应良好,相间及对地的距离应符合本规范第4.0.3条的有关规定。

2 滑接器应沿滑触线全长可靠接触,应能自由无阻地滑动,在任何部位滑接器的中心线(宽面)不应超出滑触线的边缘。

3 滑接器与滑触线的接触部分,不应有尖锐的边棱;压紧弹簧的压力应符合产品技术文件的要求。

4 槽型滑接器与可调滑杆间,应移动灵活。

5 自由悬吊滑触线的轮型滑接器,安装后应高出滑触线中间托架,并不应小于10mm。

5 配　线

5.0.1 起重机上的配线应符合下列规定：

1 起重机上的配线除弱电系统外，均应采用额定电压不低于500V的铜芯软电缆。除应满足计算负荷外，软电缆截面面积不得小于1.0mm^2。

2 在易受机械损伤、热辐射或有润滑油滴落的部位，电线或电缆应装于钢管、线槽、保护罩内；在热辐射部位，电线或电缆应采取隔热保护措施。

3 电线或电缆穿过钢结构的孔洞处，应将孔洞的毛刺去掉，并应采取保护措施。

4 起重机上电缆的敷设应符合下列规定：

1) 按电缆引出的先后顺序排列整齐，不宜交叉；强电与弱电的电缆应分开敷设，电缆两端应有标牌；

2) 测速机、编码器或解算装置等弱电回路应采用屏蔽电缆进行连接，且屏蔽层不应中断，屏蔽层应可靠接地；

3) 电缆应卡固，支持点距离不应大于1m；单芯动力电缆应采用非导磁材料卡固。

5 起重机上的配线应排列整齐，导线两端应牢固地压接相应的接线端子，并应标有明显的接线编号，不得使用开口接线端子。同一接线端子最多只应接两根同规格、同型号的导线。

6 起重机上配线的接线编号应符合下列规定：

1) 接线编号管应与导线的线径匹配；

2) 接线编号管应印字清晰，易于识别，排列整齐，采用相对编号法。

5.0.2 起重机上电线管、线槽的敷设，应符合下列规定：

1 钢管、线槽应固定牢固；

2 露天起重机的钢管敷设，应使管口向下或有其他防水措施；

3 起重机所有的管口，应加装护口套；

4 线槽的安装，应符合电线或电缆敷设的要求，电线或电缆的进出口处，应采取保护措施。

6 电气设备及保护装置

6.0.1 起重机电气设备及保护装置安装前，应核对设备尺寸，设备安装部位、方向及管线位置，应符合设计和产品技术文件的要求。

6.0.2 配电屏、柜的安装应符合下列规定：

1 符合现行国家标准《电气装置安装工程 盘、柜及二次回路接线施工及验收规范》GB 50171 的有关规定；

2 不应焊接固定，紧固螺栓应有防松措施；

3 户外式起重机配电屏、柜的防雨装置，应安装正确、牢固；

4 盘柜组件安装应接触可靠。

6.0.3 电阻器的安装应符合下列规定：

1 电阻器安装在电阻柜内，电阻柜应具有散热功能；电阻器直接叠装不应超过四箱，当超过四箱时应采用支架固定，并应保持适当间距，当超过六箱时应另列一组。

2 电阻器的盖板或保护罩，应安装正确，并应固定可靠。

3 靠近电阻器等发热部位的连接导线应加套石棉套管或乙烯涂层玻璃丝管。

6.0.4 制动装置的安装应符合下列规定：

1 制动装置的动作必须迅速、准确、可靠。

2 当起重机的某一机构由两组在机械上互不联系的电动机驱动时，其制动器的动作时间应一致。

6.0.5 行程限位开关、撞杆、夹轨器的安装应符合下列规定：

1 起重机行程限位开关动作后，应能自动切断相关电源，并应使起重机各机构在下列位置停止：

1) 吊钩、抓斗升到距离极限位置不小于 100mm 处；起重臂升降的极限角度符合产品规定；

2）起重机桥架和小车等，离行程末端不得小于200mm处；

3）一台起重机临近另一台起重机，相距不得小于400mm处；

4）变幅类型的起重机应安装最大、最小幅度防止臂架前倾、后倾的限制装置，幅度达到最大或最小极限处。

2 撞杆的装设及其尺寸的确定，应保证行程限位开关可靠动作，撞杆及撞杆支架在起重机工作时不应晃动。撞杆宽度应能满足机械（桥架及小车）横向窜动范围的要求，撞杆的长度应能满足机械（桥架及小车）最大制动距离的要求。

3 撞杆在调整定位后，应固定可靠。

6.0.6 控制器的安装应符合下列规定：

1 控制器的安装位置，应便于操作和维修。

2 操作手柄或手轮的安装高度，应便于操作与监视，操作方向宜与机构运行的方向一致，并应符合现行国家标准《人机界面标志标识的基本和安全规则 操作规则》GB 4205的规定。

6.0.7 照明装置的安装应符合下列规定：

1 照明电源应为独立电源，起重机主断路器切断电源后，照明不应断电。

2 灯具配件应齐全，并应悬挂牢固，运行时灯具应无剧烈摆动。

3 照明回路应设置专用零线或隔离变压器，不得利用电线管或起重机本身的接地线作零线。

4 安全变压器或隔离变压器安装应牢固，绝缘应良好。

5 照明系统的电缆均应穿管敷设，中间不得有接头。

6.0.8 起重机应设有断电保护装置。当起重机的某一机构由两组在机械上互不联系的电动机驱动时，两台电动机应有同步运行和同时断电的保护装置。

6.0.9 起重荷载限制器的调试应符合下列规定：

1　起重荷载限制器综合误差，严禁大于8%。

2　当载荷达到额定起重量的90%时，必须发出提示性报警信号。

3　当载荷达到额定起重量的110%时，必须自动切断起升机构电动机的电源，并应发出禁止性报警信号。

6.0.10　起重机的金属结构及所有电气设备的外壳、管槽、电缆金属外皮，均应可靠接地。

7 工程质量验收

7.0.1 起重机进行试运转前，电气装置应具备下列条件：

1 电气装置安装应全部结束，并应经验收合格。

2 电气回路接线应正确，端子应固定牢固、接触良好、标志清楚。电气装置内应清洁无遗留物。

3 电气设备和线路的绝缘电阻值和交流耐压试验电压，应符合现行国家标准《电气装置安装工程　电气设备交接试验标准》GB 50150 的有关规定，并应符合下列规定：

1）电气设备之间及其与起重机结构之间应有良好的绝缘性能，其主回路、二次回路及电气设备的相间绝缘电阻和对地绝缘电阻值不应小于 1.0MΩ，当有防爆要求时不应小于 1.5MΩ；

2）主回路及电气设备的交流耐压试验，应符合现行国家标准《电气装置安装工程　电气设备交接试验标准》GB 50150的有关规定或产品技术文件要求；其中电动机的交流耐压试验应符合表 7.0.1-1 和表 7.0.1-2 的规定。

表 7.0.1-1　电动机定子绕组交流耐压试验电压

额定电压(kV)	3	6	10
试验电压(kV)	5	10	16

表 7.0.1-2　绕线式电动机转子绕组交流耐压试验电压

转子工况	试验电压(V)
不可逆的	$1.5U_k+750$
可逆的	$3.0U_k+750$

注：U_k为转子静止时，在定子绕组上施加额定电压，转子绕组开路时测得的电压。

4 电源的容量、电压、频率及断路器的型号、规格，应符合设计要求和相关设备的技术要求。

5 保护接地及接零应良好可靠。

6 电动机、控制器、接触器、制动器、继电器、继电保护装置、安全保护装置等，应检查和调试（试验）合格，相关保护定值应已按要求整定完毕。

7 继电保护和安全保护传动试验应完毕。相关保护动作应正确、可靠；声光信号装置应显示正确、清晰、可靠。

7.0.2 无负荷的试运应符合下列规定：

1 操纵机构、控制系统、联锁装置、继电保护及音响联系信号装置的动作应可靠、准确；馈电装置应工作正常；操纵机构操作的方向与起重机各机构的运行方向应符合设计要求。

2 起升高度限位、下降深度限位、大小车运行限位应动作可靠、准确。起升高度、下降深度、吊具极限位置及各工作位置行程应在规定范围内，扬程指示器读数应与实际幅度一致。

3 电源滑块（集电器）与滑触线应接触良好，接触压力应满足产品技术文件的要求。

4 起重机行走、吊、落控制器触头应接触良好，操作时无卡阻和虚接现象。

5 各安全保护装置和制动器的动作应准确、可靠。分别开动各机构的电动机，运转应正常，并应测取空载电流，各工作机构空载速度应在允许范围内。

6 各运行和起升机构沿全程应至少往返三次，能实现规定的功能和动作，车轮与轨道应接触良好，无异常震动、冲击、过热、噪声等现象。

7 采用软电缆供电的机构，其放缆和收缆的速度应与运行机构的速度一致。

8 起重机防止桥架扭斜的同步保护装置应灵敏可靠；两台以上电动机传动的运行机构和起升机构运转方向正确，起动和停止应同步。

9 当起重机采用变频控制系统和可编程序控制器(PLC)控制时,应符合下列要求:

1)检验 PLC 程序应符合工艺及设计要求;

2)触摸屏应具备实时显示起重机运行工况和故障信息的功能;

3)变频器的功能检验应符合工艺及设计要求。

7.0.3 当进行静负荷试运时,电气装置应符合下列规定:

1 逐级增加到额定负荷,分别做起吊试验时,电气装置均应正常。

2 当起吊 1.25 倍的额定负荷距地面高度为 100mm～200mm 时,悬空时间不得小于 10min,电气装置应无异常现象。

7.0.4 当进行动负荷试运时,电气装置应符合下列规定:

1 按操作规程进行控制,加速度、减速度应符合产品标准和技术文件的要求。

2 各机构的动负荷试运应在 1.1 倍额定载荷下分别进行。在整个试验过程中,电气装置均应工作正常,并应测取各电动机的运行电流。电气设备发热应在设备性能允许范围内。

3 采用变频控制的起重机重物高空停止的控制过程、重物升降的过程及制动时,防止溜钩控制应准确。

7.0.5 在验收时,应提交下列资料和文件:

1 设计变更证明文件、设备及材料代用单;

2 制造厂提供的产品合格证书、产品说明书、安装图纸等技术文件;

3 安装技术记录;

4 调整试验记录;

5 备品备件交接清单。

本规范用词说明

1　为便于在执行本规范条文时区别对待，对要求严格程度不同的用词说明如下：

1）表示很严格，非这样做不可的：

正面词采用“必须”，反面词采用“严禁”；

2）表示严格，在正常情况下均应这样做的：

正面词采用“应”，反面词采用“不应”或“不得”；

3）表示允许稍有选择，在条件许可时首先应这样做的：

正面词采用“宜”，反面词采用“不宜”；

4）表示有选择，在一定条件下可以这样做的，采用“可”。

2　条文中指明应按其他有关标准执行的写法为：“应符合……的规定”或“应按……执行”。

引用标准名录

《电气装置安装工程　电气设备交接试验标准》GB 50150

《电气装置安装工程　盘、柜及二次回路接线施工及验收规范》GB 50171

《建筑工程施工质量验收统一标准》GB/T 50300

《人机界面标志标识的基本和安全规则　操作规则》GB 4205

中华人民共和国国家标准

电气装置安装工程
起重机电气装置施工及验收规范

GB 50256-2014

条 文 说 明

制 订 说 明

本规范是根据住房城乡建设部《关于印发〈2009 年工程建设标准规范制订、修订计划〉的通知》(建标〔2009〕88 号)安排,由中国电力企业联合会负责,中国电力科学研究院和国核工程有限公司组织有关单位在原国家标准《电气装置安装工程　起重机电气装置施工及验收规范》GB 50256—96 的基础上修订的。

本规范上一版的主编单位是电力工业部电力建设研究所(现中国电力科学研究院)、冶金部第三冶金建设公司电气安装工程公司等,主要起草人是赵洪维、程学丽、马长瀛。

为了方便广大电力、冶金、船舶、石油、化工等行业有关人员在使用本规范时能正确理解和执行条文规定,《电气装置安装工程　起重机电气装置施工及验收规范》编制组按章、节、条顺序编制了本规范的条文说明,对条文规定的目的、依据以及执行中需注意的有关事项进行了说明,还着重对强制性条文的强制性理由作了解释。但是,本条文说明不具备与规范正文同等的法律效力,仅供使用者作为理解和把握规范规定的参考。

目　　次

3 基本规定

3.0.3 产品的技术文件应包括产品说明书、控制原理图、产品合格证件、产品装货清单、出入口报关单(若进口设备)等文件;

3.0.8 常温状态是指温度20℃～25℃,相对湿度小于或等于85%。

3.0.9 本条说明如下:

2 确保司机室与起重机本体有可靠的电气通路,以保证起重机操作人员的生命安全。

3 确保起重机接地的可靠性,以保证施工人员的生命安全。

4 滑触线、滑接器及悬吊式软电缆的安装

4.0.1 布置滑触线时,应考虑运行及维护的方便和安全。

3 遮拦保护是防止滑触线裸露引起触电。为了保证施工人员的生命安全,本款作为强制性条款,必须严格执行。

4.0.2 本条是滑触线支架、绝缘子安装的一般要求。

5 绝缘子两端固定螺栓用高标号水泥砂浆灌注是调研时多数单位提供的方案。

4.0.3 本条是滑触线安装的一般要求。

2 导电部分之间和对地的安全距离,考虑了起重机运行时的窜动及变动因素,为确保安全而规定。户内3kV滑触线对地距离不小于100mm,是要求绝缘子高度不小于100mm。

3 滑触线末端的两个数值是使起重机行走于极限位置时,滑接器不会脱离滑触线。

9 滑触线涂漆是为防腐和警示。

4.0.4 为使建(构)筑物伸缩缝沉降时所产生的位移能较小地影响滑触线,并使滑接器运行到伸缩补偿装置处能顺利通过,所以规定支持点距离间隙小于150mm。

4.0.5 本条为保证滑触线接头的强度及滑接器移动时尽量减少跳动而提出的要求。大型起重机有的以轻轨供电,所以规定了轨道滑触线焊接时应符合钢轨焊接工艺对材料和质量的要求;导线与滑触线的接头处,为保证接触良好,提出了应镀锡或加焊有电镀层的接线板的要求。

4.0.6 为保证分段供电及检修时的安全,提出了分段供电的要求;不允许并联运行时,分段间隙应大于滑接器与滑触线接触长度40mm的规定,是为了保持分段间隙不小于20mm。

4.0.7 3kV滑触线已有成熟的安装工艺，并在大型冶金工厂使用，所以这次提出了安装的规定和要求。

4.0.8 因自由悬吊滑触线与吊索有共同点，故综合提出一般要求；其温度和弛度的要求等均参照了标准图集《吊车移动电缆安装》89D364的规定。

4.0.9 由于软电缆可取代小车滑触线，电动葫芦使用软电缆也比较多，因此提出了这一规定。

4.0.10 本条为保证软电缆的安全运行，防止损坏所作的一般规定。

4.0.11 结构形式指单线式、三线式、四线式等，以及直型、弯型、环型滑触线。

4.0.12 为保证滑接器与滑触线可靠接触，规定了滑接器中心线不应超出滑触线边缘，本条第5款中高出10mm的要求，是为了防止起重机在运行时的振动导致滑接器碰撞中间托架。

5 配　　线

5.0.2 起重机上的钢管、线槽应固定牢固，防止运行时的振动造成移位损坏；规定了管口及线槽的进出口，应有保护措施，这是防止电线或电缆损坏所规定的。

6 电气设备及保护装置

6.0.1 本条是对电气设备安装前应做工作的一般规定，对设备等进行核对以防止实物与图纸不符。

6.0.2 本条是起重机上配电屏、柜安装的一般规定。户外式防雨装置应安装牢固。

6.0.3 本条是电阻器安装的一般规定，符合起重机设计规范的要求。

6.0.4 目前制动器种类较多，要求不一致，重点提出了制动器的几点要求；对两台电动机驱动时，提出了制动器的动作时间应一致。

1 制动装置动作是否迅速、准确、可靠，关系到起重机运行和施工人员的生命安全，故本款作为强制性条款，必须严格执行。

6.0.5 本条是行程限位开关、撞杆安装的一般要求。

6.0.8 本条是为保证起重机运行安全而规定的保护措施。

6.0.9 有的起重机装设有起重量限制器，为保证安全可靠，对起重量限制器的调试提出了必需的要求。该条作为强制条款，必须严格执行。

7 工程质量验收

7.0.1 为保证试车安全,本条明确规定了起重机运转前,其电气装置应具备的一些具体要求。在试车前都要进行全面的检查,以减少事故的发生和便于及时处理。

7.0.2 无负荷试运是起重机试运转应检查的项目之一。本条明确指出了无负荷试运转的具体试验项目和要求。

7.0.3 本条为静负荷试验的具体项目和要求;静负荷试运转应与机械试运转项目配合进行。

7.0.4 动负荷试运是检验起重机性能的一个重要环节,应与机械试运转项目配合进行。

7.0.5 施工单位在工程竣工进行交接时,应按本条规定内容提交资料和文件。这是新设备的原始档案资料和运行及检修的重要技术依据。其中随设备带来的备品备件、专用工具,除施工中需要更换使用的部分外,应移交给运行单位,便于运行维护检修。